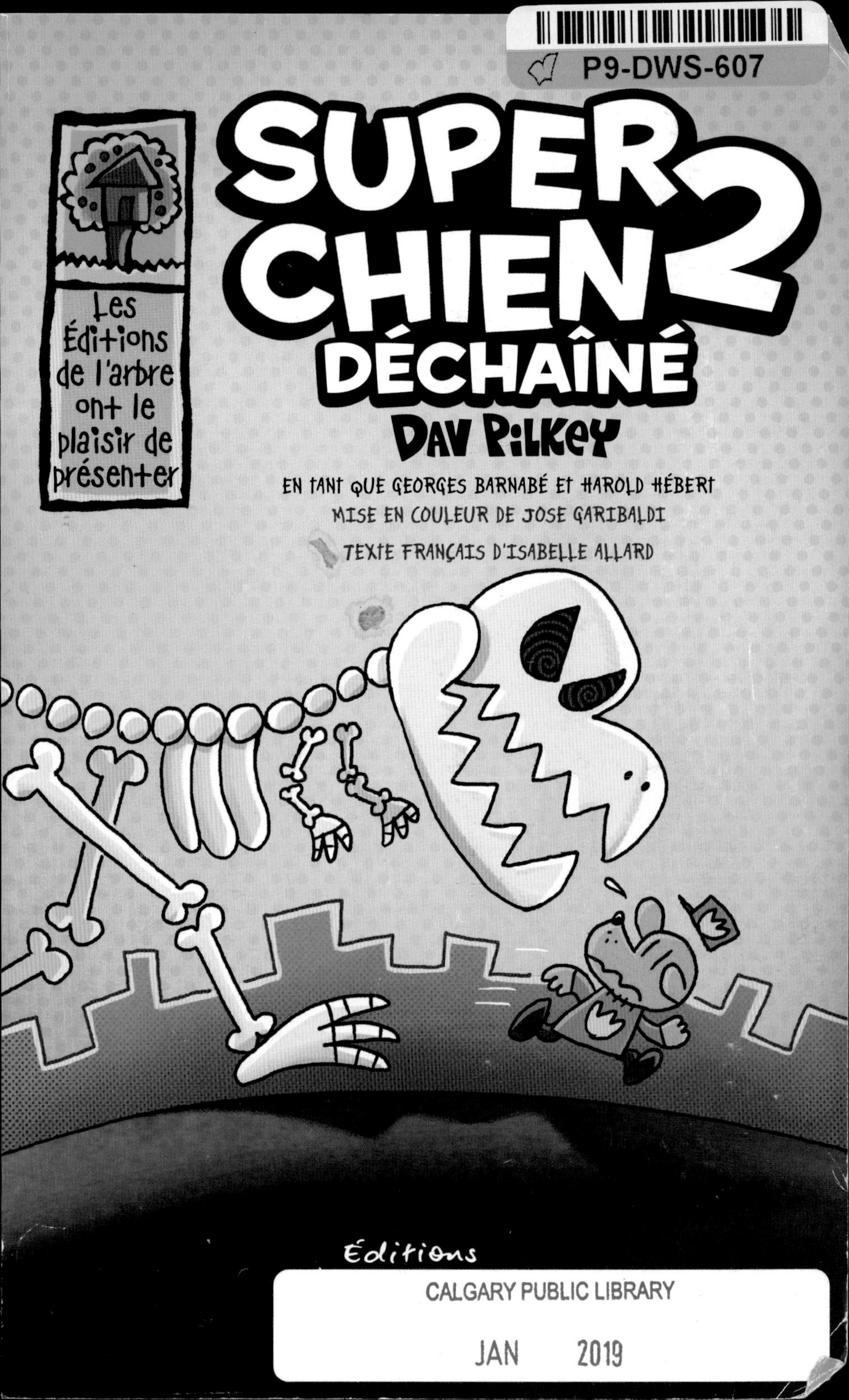
P9-DWS-607
SUPER CHIEN 2
DÉCHAÎNÉ
Les Éditions de l'arbre ont le plaisir de présenter
DAV PILKEY
EN TANT QUE GEORGES BARNABÉ ET HAROLD HÉBERT
MISE EN COULEUR DE JOSE GARIBALDI
TEXTE FRANÇAIS D'ISABELLE ALLARD
Éditions

À Phil Falco

Catalogage avant publication de Bibliothèque et Archives Canada

Pilkey, Dav, 1966-
[Unleashed. Français]
Déchaîné / Dav Pilkey, auteur et illustrateur ; texte français
d'Isabelle Allard.

(Super Chien)
traduction de : Unleashed.
ISBN 978-1-4431-5923-4 (couverture souple)

I. titre. II. titre: Unleashed. Français.

PZ23.P5565De 2017 j813'.54 C2016-904849-7

Édition publiée par les Éditions Scholastic, 604, rue King Ouest, Toronto (Ontario) M5V 1E1
7 6 5 4 3 Imprimé en Malaisie 108 18 19 20 21 22

Conception graphique : Dav Pilkey et Phil Falco
Mise en couleur : Jose Garibaldi
Directeur artistique : David Saylor

TABLE DES MATIÈRES

SUPER CHIEN
Notre histoire jusqu'à présent...
Allô, tout le monde! Bienvenue dans notre deuxième roman de Super Chien!
Cette introduction vous aidera à vous retrouver dans nos aventures épiques!
Dans un monde où les vilains chats maltraitent les innocents...
Ha, ha, ha!
et les sinistres méchants empoisonnent l'âme des faibles...

Un policier et un chien policier ont ce qu'il faut pour maintenir la paix.
Arrête, brigand!
Pas question!
L'agent Képi est le policier le plus endurci de la ville...
No 1
super poings frappeurs
peut soulever 225 kilos
genoux d'acier
cœur pur
pieds entraînés au kung-fu

Greg le chien est aussi un excel-lent policier.
cerveau loyal
chapeau
méga museau renifleur
super oreilles
langue de justicier
pouah
Ensemble, ils débarrassent la ville des vilains!
PAF!
CLAC!

Tout à coup...
Ha, ha!
BOMBE
Une bombe? je mets mes meilleurs hommes là-dessus!!!
Chef
Une bourde tragique va changer leur vie à jamais.
Hum... quel fil dois-je couper? Le rouge ou le vert??
BOMBE
Grrr!
D'accord pour le vert!!!
Et alors...
tchic

KA BOUM
Oh non! J'oubliais que les chiens étaient daltoniens!!!
wiii-ouuu-wiii-ouuu
Le docteur a de tristes nouvelles.
Snif, snif!
Désolé, Greg, ton corps va mourir.
Et toi, policier, ta tête va mourir aussi.
Zut!

Mais juste quand tout semblait perdu...
HÉ!
infirmière Moiselle
Pourriez-vous coudre la tête de Greg sur le corps du policier?
Bonne idée, infirmière Moiselle! Vous êtes géniale!!!
je sais.
Bientôt, un nouveau justicier est né.

On non! Sans le vouloir, j'ai créé le plus grand flic du monde!!!
C'est vrai. Super Chien a les avantages de l'homme... et du chien...
mais aussi les mauvais côtés.
Super Chien a de vilaines habitudes.
Il bave sur tout le monde...
Chef
Ouache, dégueu!
Il est obsédé par les balles...
SCOUIC
SCOUIC
SCOUIC

et pour une raison bizarre, il aime se rouler dans les poissons morts.
Pouah!
Oh non!
Super Chien, tu es un bon flic.
Chef
Mais tu es un méchant chien!
Chef
Tu ferais mieux d'être gentil...
Chef
ou tu iras dans ta niche!

Notre héros pourra-t-il vaincre sa nature canine et se conduire en homme?
Ou cédera-t-il à ses vilaines habitudes?
Découvre-le maintenant!
Si tu aimes l'action...
le suspens...
la romance...
snif
snif
et les fous rires...
Chef

alors,
SUPER CHIEN
EST ÇA!
« Super Chien est ça? »
Ça ne veut rien dire!
Mais on aime ça!
BONNE LECTURE!!!

CHAPITRE 1
LA RÉUNION SECRÈTE

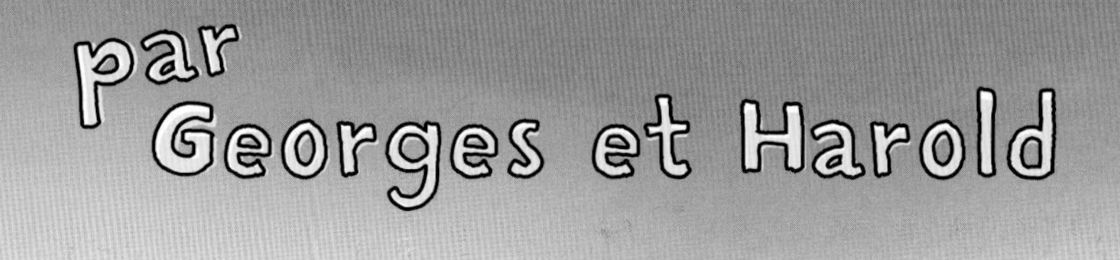

par Georges et Harold

Un matin, au poste de police...
Police
Super Chien est très turbulent.
Hé!
Arrête, Super Chien! Lâche-moi!!!
Arrête ça!!!
Qu'est-ce que c'est?
Fête du chef

C'est l'anniversaire du chef aujourd'hui!!!
Fête du chef
Faisons une fête!
On peut tous l'organiser!!!
J'appelle tous les flics!
Alors...
Je vais faire une carte!
Et moi, un gâteau!
On va décorer!!!

Il faut trouver des cadeaux!
Que pourrions-nous lui donner?
Hum... Le chef oublie toujours des trucs.
Donnons-lui des vitamines qui rendent intelligent!
Nouveau
Nutri-cerveau
Bonne idée!!! Quoi d'autre?
Hum...

Je sais! Le chef est solitaire.
Donnons-lui un animal de compagnie.
Quel genre d'animal?
Pourquoi pas un poisson?
Oui! Les poissons sont de bons animaux de compagnie.
Et ils ne sont pas sales et énervants comme les chiens.

Bon, c'est réglé!
Super Chien, tu vas t'occuper d'acheter un poisson.
Mais n'achète pas un poisson mort!
Le chef n'aime pas se rouler dans les poissons morts.
Pas comme toi!
Alors, ne choisis pas un poisson mort!!!

Dépêchons-nous! Le chef revient dans deux minutes!
Qui veut aller au magasin d'animaux?
Qui veut acheter un poisson?
Qui est un bon acheteur de poisson?
Super Chien est si excité...
qu'il tourne sur lui-même!

Le tourne-o-rama,
c'est simple. Voici le secret :
Tourne sans déchirer!

un haïku
de Super Chien

O-RAMA
Extra quétaine
Voici comment faire :
Étape n° 1
Place la main gauche sur la zone marquée « MAIN GAUCHE » à l'intérieur des pointillés. Garde le livre ouvert et bien à plat!
Étape n° 2
Prends la page de droite entre le pouce et l'index de la main droite (à l'intérieur des pointillés, dans la zone marquée « POUCE DROIT »).
Étape n° 3
Tourne *rapidement* la page de droite dans les deux sens jusqu'à ce que les dessins aient l'air *animés*.
(Pour avoir encore plus de plaisir, crée tes propres effets sonores!)

N'OUBLIE PAS

de tourner seulement la page 25. Assure-toi de voir le dessin aux pages 25 ET 27 en tournant la page.

Si tu tournes rapidement, les images auront l'air d'un dessin animé!

Main gauche

Qui veut aller au magasin d'animaux?
Qui veut acheter un poisson?
N'achète pas un poisson mort!
pouce droit

Qui veut aller au magasin d'animaux?
Qui veut acheter un poisson?
N'achète pas un poisson mort!

Va chercher le poisson!!!
Police
Oh! Bonjour super...
Chef
HÉ!
Chef
ZOUM
CLONK
SUPER CHIEN!!!
Chef

par
Georges et Harold

Ouvert
Ding
Ding
On non! Encore ce flic à tête de chien!
Les employés du magasin n'aiment pas super Chien parce qu'il est trop dissipé.
Lits pour chiens
Boing
Boing
Il goûte à toutes les croquettes...
crunch
crunch
Mélange deluxe
Viande extra
il lèche tous les os...
Os en solde

et il joue avec toutes les balles.
Balles couinantes
ARRÊTE, SUPER CHIEN!
Regarde les dégâts que tu as faits!
Est-ce ainsi qu'un policier agit?
Os en solde

Eh bien, qu'as-tu à dire pour ta défense?
SCOUIC
Donne-moi cette balle!
TRIPLE TOURNE-O-RAMA
Main gauche

Lâche ça!!!
Donne!!
Arrête!
pouce droit

Lâche ça!!!

Donne!!

Arrête!

Aïe! Mon bras!
Puis il la voit.
Elle est belle.
Elle est douce.
Et elle sent bon.
snif
snif

Leurs regards se croisent.
Je peux t'aider?

Super Chien essaie de se rappeler pourquoi il est là.
Poissons
Il regarde les poissons.
Puis il en trouve un.
Mais... mais...

Il est mort!
Es-tu certain de vouloir un poisson mort?
N'achète PAS un poisson mort!
EH BIEN????

Ce poisson coûte 5 dollars!
Super Chien n'a pas d'argent.
Ha! Ha! C'est bien ce que je pensais! Attends ici!
Super Chien veut acheter un poisson, mais il n'a pas d'argent!!
Donnons-lui le poisson méchant.
Quel poisson méchant?
Suis-moi!!!
Employés seulement

Il est arrivé ici un vendredi 13...
avec un cœur cruel et une âme sombre comme mille et une nuits!!!!
J'ai voulu le mettre avec les autres poissons...
Interdit d'entrer
mais il s'est emparé de tous leurs petits châteaux...
a volé tous les mini coffres au trésor en plastique...
DANGER
et a terrifié les poissons qui osaient croiser son sinistre chemin!!!

Voici l'incarnation aquatique du
MAL!!!

Ne pas taper sur le bocal svp.
Alors, on le donne à Super Chien?
Oui, pourquoi pas?

ALORS
Tiens, Super Chien!
Ton propre
« poisson-papillon »!
C'est gratuit! Alors,
ne te plains pas!

SOUDAIN
Combien pour ce chien dans la vitrine?
ding
ding
C'est Zuzu. Elle vient du refuge d'à côté.
Elle coûte cent dollars et des clous.
Voici cent dollars...
et voici vos clous!
Merci!
50
50
50
25
25
dollars
dollars
dollars
CLOUS

Voilà!
Super!
On va être de grandes amies!!!!!
Au revoir tout le ...
Hé! Tu es Super Chien!
je suis ta plus grande admiratrice.

Voici ma carte!
Sarah Lastar
Meilleure journaliste du monde
À plus tard!
Miam Miam
Au revoir!

CHAPITRE 3
JOYEUX ANNIVERSAIRE, CHEF!
Chef

♫ Joyeux anniversaire... ♫
Voici vos cadeaux, chef!
Chef
Oh! J'ai hâte!
scrich
scrich
Chef
Génial! Des vitamines! Qui m'a donné ça?
Nutri-cerveau
Chef
Nous! Parce que vous oubliez tout!!!!!
Nutri-cerveau
Chef

Ce n'est pas vrai!!! Vous êtes impolis!!
Nutri-cerveau
Chef
je n'oublie jamais rien!!!
Chef
Désolés, chef.
Chef
C'est mieux!
Chef
Nutri-cerveau
Chef
Génial! Des vitamines! Qui m'a donné ça?
Chef
Zong

Regardez ce que Super Chien vous a acheté!
Chef
Oh! Un poisson! j'en ai toujours voulu un!!!
Chef
je vais t'appeler tête-de-lard!!!
HOURRA!!!
Chef
Plus tard...
Chef
tu vas vivre ici, tête-de-lard!
Chef

Chef, n'oubliez pas de prendre vos vitamines.
Ah oui!
Chef
HUM...
Chef
Mode d'emploi :
Ne pas en prendre beaucoup. Jamais plus d'une. Sinon, quelque chose va arriver! On ne vous dit pas quoi...
Chef
POP
TCHAC
Chef
Nutri-cerveau

une vitamine
Chef
tri-
erveau
Chef
Je vais garder le reste ici.
Nutri-
cerveau
Chef
Chef
Bip Bip
Hé!
C'est l'heure du dîner!!!
Chef
Bureau du chef

BAM
Nutri-
cerveau
ploc

Qu'arrive-t-il
ensuite?
Dans ce livre,
on dit que :
Le cerveau de tête-
de-lard est devenu...
onze fois plus
gros ce jour-là.

CHAPITRE 4

LE GRAND CAMBRIOLAGE

par Georges et Harold

Une heure plus tard...
Police
Chef
Chef
Bureau du chef
Dring! Dring!
Chef
Dring! Dring!
Chef
chef
Allô?
Chef
Allô? Police? Il y a eu un cambriolage de magasin d'animaux!
Chef
Où ça?
Au magasin d'animaux bien sûr!
Oh...

Je vais mettre mon meilleur homme là-dessus!!!!
SUPER CHIEN...
Chef
Bureau du chef
NON, ATTENDS!
Chef
NOOOOON!!
Chef
ARRÊTE!!!
Chef

VILAIN CHIEN!
Le magasin d'animaux a été cambriolé!
Chef
Qui veut aller au magasin d'animaux?
Chef
Super Chien veut y aller?
Chef
Super Chien veut résoudre le mystère du crime???
Chef
Qui va attraper les méchants?
Zip
Zip
Chef

Va chercher!!!!!!
Chef
Police
ZOUM
Animaux d'Annie
Super Chien!!!
Tu es notre héros!!!!
Attends... quoi?

Sleurp
Sleurp
Os en solde
HÉ!!!
Super Chien, c'était horrible!!! j'étais venue acheter de la nourriture...
et un mystérieux inconnu nous a attachés! Puis il a cambriolé le magasin!!!!!

Heureusement, Zuzu a rongé une corde...
et j'ai pu sortir une de mes mains.
J'ai réussi à prendre une photo du voleur avec mon téléphone!
Qu'en penses-tu, Super Chien?
Super Chien???

Balles couinantes
HÉ!
HUM...
Donne-moi cette balle!
Attendez une minute...

CHAPITRE 5

LA GRANDE ÉVASION

Une heure plus tard, à la prison des chats...
Dernière heure
Mystérieux cambrioleur
par Sarah Lastar
Hé! Je reconnais ce type!
C'est Pistache!!!
Pistache, je vais te mettre en prison!

je suis DÉJÀ en prison!!!
tu as cambriolé ce magasin aujourd'hui!
Je ne me suis même pas évadé, aujourd'hui!
Tant pis! Parce que si je t'attrape...
je vais te remettre en cellule, là où tu dois être!!!

HUM...
Quelqu'un se fait passer pour moi!
Je vais en avoir le cœur net...
Mais d'abord, je dois m'échapper!
Fournitures d'art
Fournitures d'art
♫
Tchic
Tchic

Tchic
Tchic
Tchic
Tchic
Tchic
Crayons de cire

j'ai déjà vu ça dans un livre!
Hi, hi!

GARDIEN!
À L'AIDE!!
Gardien
MON BABILLARD EST TOMBÉ SUR MOI!!!!!
C'est dange-reux!!!
Pistache, NON!

NOOOOON!!!
TU ES APLATI!
Parle-moi!

Pourquoi étais-je si méchant avec toi??
Que vais-je faire sans toi?
Je vais appeler le 9-1-1!
Bip Bip Bip

Ne meurs pas!!! Surtout, ne meurs pas!!!
Prison des chats
wiii-ouuu-wiii-ouuu
wiii-ouuu-wiii-ouuu
?
Prison des chats

Aidez-le! Aidez-le!
Roule
Roule
Roule
wiii-ouuu-wiii-ouuu
On l'emmène voir un shaman?
Quoi?
AMBULANCE

J'ai dit
un shaman!
Pourquoi?
Parce que c'est
un CHAT!
Bon, si tu insistes!
Shaman
Docteur

BIENTÔT...
BOOG E. FEEYA
Le shaman est là
Pouvez-vous le ramener à la vie?
Oui, j'ai ce qu'il faut!
Yapo-vie
Mais je vous préviens : ce produit peut rendre DIABOLIQUE!
Pas de problème.
Il était déjà diabolique avant.
Yapo vie

Bon, on y va!!!
tchac
tchac
tchac
Yap vi
pshhht!
Je... je suis plat!

Hé! Ça pourrait être pratique!
Pas si vite, Pistache aplati!!!!
On te ramène en prison!
Je vais verrouiller la porte pour que tu ne t'évades pas!!!
Peuh! Les portes ne peuvent pas m'arrêter! je vais me glisser dessous!!
Ah ouais???
POC

Tu es coincé, Pistache aplati!
Si tu nous causes des problèmes, je te frappe avec cette roche!
As-tu déjà joué à roche, papier, ciseaux?
Oui!

zip
BONK
Boïng
CLONK
Le papier bat toujours la roche!!!

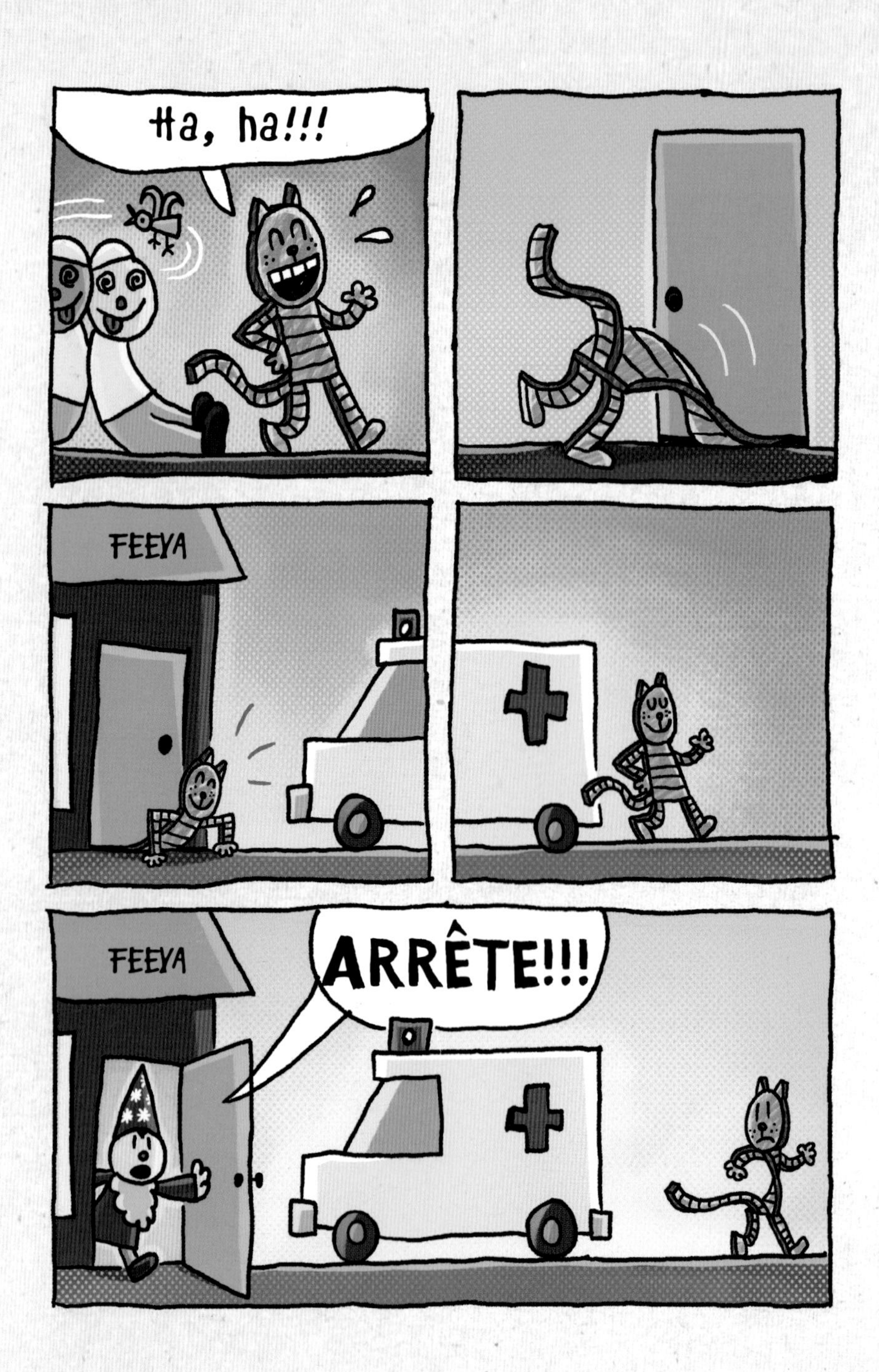
Ha, ha!!!
FEEYA
FEEYA
ARRÊTE!!!

Je n'ai pas fini avec toi!!!
Dans ce sac magique, j'ai plein de surprises!!!
Ah! Le voici!
Yapo-docile
Nouveau
Si je t'arrose avec ce produit...
Yapo docil
tu vas devenir mon **serviteur!**
pshhht!

Le nuage de produit se rapproche...
Yap doc
Pistache aplati doit réagir vite!
Il plie son visage...
en forme d'éventail.
TOURNE-O-RAMA
Tourne comme le vent!
Main gauche

Du vent!
Et vite!

pouce
droit

Du vent!
Et vite!

L'éventail de Pistache aplati renvoie le nuage vers le shaman.
flip
flip
flip
keuf
keuf
gnaaan
Je suis ton serviteur obéissant, maître Pistache aplati!!!
Super!

CHAPITRE 6

UN TAS DE TRUCS ARRIVENT ENSUITE

Entre-temps...
dring
dring
Super Chien, c'est Sarah!
J'ai trouvé un indice : le voleur n'a pas volé d'argent!!!
Seulement des petits coffres au trésor!!!
Devine en quoi ils étaient faits?
Ouaf!

Non, ils étaient en plastique!!!!
J'ai écrit un article à ce sujet sur mon blogue.
Dernière heure
par Sarah Lastar
APRÈS
par Sarah Lastar
Le cambrioleur a volé des coffres au trésor... pourquoi?
Donc, mon imposteur est obsédé par les coffres au trésor, hein?
HUM...

HA! HA!!!
Je sais comment le piéger!
Alors...
Ferraille
TRIPLE TOURNE-O-RAMA
Main gauche

Zizz
Zizz
Zizz
Zizz
Bang
Bang
Bang
Bang
Bzzk
Bzzk
Bzzk
Bzzk
pouce
droit

Zizz
Zizz
Zizz
Zizz

Bang
Bang
Bang
Bang

Bzzk
Bzzk
Bzzk
Bzzk

Bientôt, le tank au trésor 2000 est construit.
Il ne reste qu'à y mettre un trésor. Mais comment?
Bien sûr!
Placard d'inventions
Ce « rayon d'amour » devrait faire l'affaire!

Je vais bientôt attraper mon imposteur...
Et avoir un coffre au trésor bien rempli!
Yiiii-ha!
Labo secret de Pistache
ZOUM!
Pendant ce temps, de l'autre côté de la ville...
Un mystérieux inconnu fait des mauvais coups!
Agent d'immeubles

ding
ding
Est-ce que je peux vous aider?
Oui. Je veux acheter le plus grand château de la ville!
Ça va vous coûter un million de dollars.
OK. Les voici.
Clonc
Clonc
Clonc

Qu'est-ce que c'est?
Des coffres au trésor remplis d'or.
Ce ne sont pas de **vrais** coffres au trésor!
Hein?
Ce sont des jouets en plastique!
Ce n'est pas du vrai or!
Ah non???

Les vrais coffres au trésor sont en bois et remplis d'or. Comme celui-ci à la télé.
Ha, ha, ha!
Allez, remplissez ce coffre avec vos trésors!!!
Oh non!!! Pistache force les gens à remplir son coffre au trésor avec leur argent!
Ce n'est pas vrai!!!

Ils me donnent leur argent parce qu'ils m'aiment! C'est tout!
Je vais te montrer que c'est vrai!
Regarde, c'est Pistache! Sauvons-nous!
Avec mon « rayon d'amour » breveté, je peux me faire aimer de N'IMPORTE QUI!

ZAP!
Regarde! C'est Pistache! je suis amoureux!!!
Oh là là!
Pistache! Marions-nous!
Hé! On se bécote, mon pote?

Non, merci. Donnez-moi votre argent si vous m'aimez tant que ça!
D'ac!
Voici tous nos biens, beau garçon!
Ka-ching!
Ha, ha!
Je dois voler ce coffre au trésor!
Mais non, voyons! Ce serait du vol!

Ne me dis PAS ce que je dois faire!
Avec mes incroyables pouvoirs télékinétiques, toute matière est sous MON emprise!!!
Disparais de ma vue!
CRAC
Merci. À bientôt!
Agent d'immeubles

CHAPITRE 7
LA GROSSE BATAILLE

par
Georges et Harold

La situation ne fait qu'empirer.
Pistache cible tout le monde avec son rayon d'amour...
ZAP!
et tous tombent sous son charme.
ZAP!
On t'aime, Pistache!!!
Sur le toit d'un immeuble, Super Chien observe la tragédie qui se déroule en bas.
Ha, ha!

Il met la patte dans sa chemise...
et sort son os favori.
Sleurp
Sleurp
Sleurp
Il attache une ficelle à son os...
et le lance.
Zoup!
Zoup!
Clang!

Super Chien tire sur la corde...
et puis...

Tiens, tiens, tiens! Regarde qui est là!
woump!
Je suppose que tu veux te battre?
Pourquoi perdre son temps à se battre...
quand c'est plus agréable...
de s'aimer!
ZAP!

HA HA HA
Hi hi hi...
Hein?
Hé! Où est-il passé?
?

Soudain...
HÉ! Comment es-tu arrivé là?
Lâche cette manette TOUT DE SUITE!
Ce n'est PAS une balle!
C'est un élément...
Han!

très complexe ...
du mécanisme!
TRIPLE TOURNE-O-RAMA
Main gauche

pouce
droit

Oh non!
PAF!
Pistache! Ça va???

Oui, je crois...
Parfait!!! Alors, on peut se marier!
Hé! C'est moi qui veux le marier!!!
Nous l'avons vu en premier!
Attendez une minute...
Embrasse-moi!
Non, moi!
Non, moi!
Non, moi!
Mais... soyez raisonnables!!!!
Un petit bisou, mon bébé!
AAAAAAAH!

Viens, petit minou!
Bisou! Bisou!
Minou, minou, minou!
Trrrop mignon!
Miam, miam, miam!
Faisons un festin félin!
Dansons le chat, chat, chat!
Ne sois pas de mauvais poil!
Reste par minou!
Prison des chats

Ouvrez-moi!
des chats
BAM!
Ouvre, Pistache!!
Désolé, les ratés!
La prison est le seul endroit sûr pour moi!

PISTACHE!!! tu es VIVANT!!!
tu es revenu!!!
Mes prières ont été exaucées!!!
Tu es le soleil de mes jours!!!
OUIIINN!

CHAPITRE 8

LA FIÈVRE DU CHAT APLATI

Dans la ville, les tensions montent...
Super chien ne veut pas lâcher la balle.
Sarah tente de le convaincre...
Lâche la balle, Super Chien!!!!
Zuzu essaie aussi!
Ouaf! Ouaf! Ouaf!
Même le chef ne peut pas lui faire entendre raison.
Chef
Police
VILAIN CHIEN!

Ce satané flic à tête de chien ne lâchera jamais!
Heureusement, j'ai un plan!
Viens, M. Boog E. Feeva!
Musée d'histoire naturelle
Que faisons-nous ici?
Tu vas voir...
T. Rex

T. Rex
Donne-moi la canette de « vapo-vie »!

Voilà, maître!
Tchac
Tchac
Tchac
Yap vi
PSSSSSS
SSSSS
Il est VIVANT!
GRRRR

VAPO-DOCILE!!
VAPO-DOCILE!!
Tchac
Tchac
Tchac

Yapo docil
Nouv
Psssssht

Han
Han Han
Han
Han
Han
Han

Bon, écoute, le gros! Maintenant, tu dois m'obéir!!!

Je t'ordonne de DÉTRUIRE SUPER CHIEN!!!

Allons-y!
YIII-HAAAAA!!!!
CRAC
Fais tes prières, Super Chien!!!
ON S'EN VIENT!

GRRR
CLAC!
GRRR!
On descend ici!

TOURNE-O-RAMA
Technologie d'animation quétaine...
Main gauche

C'est pas fossile!

pouce
droit

C'est pas fossile!

On dirait que c'est la fin pour Super Chien...
CLAC!
Tout le monde est terrifié...
Chef
quand soudain...
Zuzu a une idée.
Chef

que fais-tu dans mon sac, Zuzu?
Zuzu, tu es géniale!
Chef! Il faut le lui dire!
Chef
psst psst
Chef
Chef

SUPER CHIEN...
Chef
POLICE
DES OS!
Chef
POLICE
DES OS!
LES SQUELETTES SONT COMPOSÉS D'OS!!!
Chef
POLICE

Quand Super Chien comprend...
il n'a plus peur.
Il ADORE les os!!!
Alors, il fait comme d'habitude...
Sleurp Sleurp Sleurp

Sleurp
Sleurp
Sleurp
Sleurp
Sleurp
Sleurp
Sleurp
TRIPLE CHATOUILLE-O-RAMA

Main gauche

HA! HA!
HA! HA! HI! HI! HA! HA
HA! HA! HA! HA
pouce
droit

HA! HA!
HA! HA! HI! HI! HA! HA
HA!
HA! HA

poc
Pof
Pof
Pof
Chef

HÉ!!!
Yapo-
docile
Nouve
Yapo
doc
Attention :
le rire peut
annuler les
effets de ce
produit.

Bon, au moins, j'ai le coffre au trésor!
Hé! L'ami! Devine quelle heure il est!
Il est... heu...
L'heure de dépenser ce butin!
Pas si vite!!!

CHAPITRE 9

LE RETOUR DU MYSTÉRIEUX INCONNU

♫
♫
Regarde! Des vieux qui se battent!
Allons voir!
Tu n'iras nulle part!
Ce coffre au trésor est à moi!!!
Ah ouais? Et qui es-tu???

Qui je suis n'a pas d'importance...
L'important, c'est ce que je FAIS!
Le mystérieux inconnu utilise son pouvoir télékinétique pour soulever une cabine téléphonique.
Téléphone
Téléphone
C'est quoi une cabine téléphonique?
Aucune idée!

WOUCH!
Téléphone
Téléphone
Téléphone
Téléphone
BAM
Le mystérieux inconnu fait léviter une pile de journaux.
Journal express
C'est quoi des journaux?
Aucune idée.
HAN!
Journal express

journal express
BONK!
Puis il prend une boîte aux lettres.
postes
C'est quoi une boîte aux lettres?
Aucune idée!
postes
postes
CLANG
Il prend d'autres trucs avec son cerveau.
Bidules désuets de Denise

C'est quoi un télécopieur?
Aucune idée!
PAF!
C'est quoi un magnéto-scope?
Aucune idée!
CLANG!
C'est quoi une montre Apple?
Aucune idée!
ting!

Tout semble sans espoir...
Chef
Mais Zuzu a un plan!
Zuzu... Nooooon!!!!
Chef

CRRRAC!
HUM...
HÉ! C'est ma table orange!
Chef
Et je reconnais ce manteau!
Chef
Chef
Manteau du chef

Quelqu'un va devoir s'expliquer...
Chef
Chef
Tête-de-lard??!!?
hef
Pourquoi, Tête-de-lard? Pourquoi???
Chef
Ce que je veux savoir, c'est COMMENT?
Chef
Je vais vous le dire...

Ce matin, je nageais tranquillement...
quand j'ai entendu un gros bruit...
BAM
suivi de plusieurs petits bruits.
PLIP PLIP PLIP PLIP PLIP PLIP PLIP PLIP PLIP PLIP PLIP PLIP PLIP PLIP PLIP PLIP PLIP
Mon cerveau s'est mis à penser comme jamais auparavant.
Je suis devenu conscient des univers au-delà du mien...
j'ai vu que je pouvais déplacer des objets avec mon esprit.

je pouvais plier les choses à volonté...
je pouvais parler... marcher...
et avec un peu d'ingéniosité...
Floche
Floche
Tchic Tchic
Je pouvais passer pour un HUMAIN!
Salut, chef.

Maintenant, je vais utiliser mon super cerveau pour voler ce coffre...
HÉ!!!
Où est-il passé???
Chef
Le truc genre tank est parti pendant ton exposé oral.
Il est allé dans la montagne.

Je vais t'avoir, Pistache aplati...
coûte que coûte!
ZOUM!
Venez! Suivons-les dans ma voiture de police!!!
wiii-ouuu-wiii-ouuu
wiii-ouuu-wiii-ouuu
Heureusement que j'ai des pneus d'hiver!

Ils atteignent le sommet de la montagne.
Chef
Hé! Vous avez tout raté!
Pauvre Tête-de-lard!
Dans son excitation, il a oublié que l'eau gèle ici!
Je... je... dois... trouver...

J'ADORE le poisson surgelé! Ha, ha, ha!
Chef
On a GAGNÉ, maître Pistache aplati!
Que veux-tu dire par « on »?
J'ai fait tout le travail!
Tu n'es rien qu'un SUIVEUR!!!

Je ne partage pas mon trésor avec toi!
Chef
Possession corporelle 101
Yapo vie
Possession corporelle 101

Dans un dernier sursaut de son super cerveau...
passession corporelle 101
Tête-de-lard soulève le livre et lit rapidement les pages.
passession corporelle 101
FLIC
FLIC
FLIC
Je... j'ai découvert... comment... d-d-devenir... éternel!!!
T-t-tout... ce qu'il f-f-aut faire... c'est se c-c-concentrer!
Tête-de-lard calme son esprit...
et se concentre de plus en plus...

L'âme de Tête-de-lard se transforme en énergie pure.
ÇA MARCHE!!!
Je dois agir rapidement!!!
Possession corporelle 101
Selon ce livre, je n'ai que deux minutes pour transférer mon âme dans un autre corps!
Je pourrai posséder ce corps et vivre pour toujours!!!
Chef
je crois que je vais voler le corps du chef!!!
Chef

Courez, chef, courez!
Essaie donc, pour voir!
Chef
Impossible de fuir une balle d'énergie pure!!!
En entendant le mot « balle »...
Super Chien n'a plus peur...
et fait comme d'habitude!
Chef

Prêt, pas prêt, chef...
Chef
me voici!
Chef
Ce corps est à MOI!!!
CLAC

Chef
Hé! Lâche-moi, Super Chien!!!
Je ne suis PAS un jouet!
Lâche-moi!!!
Lâche-moi TOUT DE SUITE!!!
Le temps presse!!!

Soudain, l'âme de Tête-de-lard devient plus petite...
Je fonds!!!
de plus en plus...
Je fonds...
petite...
quel monde cruel...
jusqu'à ce que...
je vais... Aaaaa aaa aa
Tête-de-lard cesse d'exister.
Bon chien, Super Chien!
Chef

CHAPITRE 10
TERRAIN GLISSANT
Chef

Bon, Pistache aplati...
Chef
j'en ai assez de tes combines!!!
Chef
Monte dans la voiture! On rentre tous à la maison!
Chef

C-C-CRAAAAC!
CONG-KA-CONG
Tu veux dire cette voiture?

Tu as détruit ma voiture!!!
Comment va-t-on descendre de cette montagne?
Chef
Chef
Vous allez rester ici!
Vous allez tous GELER!
Admettez-le... J'AI GAGNÉ!!!
Chef

Car le papier ne gèle pas!
Mais vous, OUI!!!
Chef
Même si vous descendez à pied...
Chef
vous serez gelés dur avant d'avoir fait la moitié du chemin!
Il n'y a pas d'autre issue!!!
J'ai trois mots pour vous :

Ha!
HA!
HA!
Chef
Alors, les RATÉS, avez-vous une DERNIÈRE DÉCLARATION???
Chef

Chef
Chef
Chef
Que pourrais-TU bien dire?!!?
Allez! Crache le morceau!!!!

SLEURP!
DÉGUEU! Tu m'as couvert de bave de chien!!!
Je suis tout mouillé...
J'ai f-f-froid!!!

Pistache aplati a raison. Le papier ne gèle pas...
Chef
mais le papier MOUILLÉ, oui!!!
Chef
FOUMP

Pistache aplati est une plaque de glace.
Super Chien monte sur lui.
Chef
Bientôt...
Chef

Chef
SWOUCH!
SWICH!
Chef
Chef
SWOUCH!

Chef
Chef
Chef
Chef
Chef

Chef
Chef
Chef
Chef

Toute la bande glisse jusqu'au pied de la montagne...
en riant aux éclats.
HA! HA! HA! HA! HA! HA! HA! HA HA!
Hé! Le vapo-docile n'agit plus!
Es-tu content de ne plus avoir à obéir à quelqu'un?
Mets-en!
Une seule personne n'est pas contente...
Chef
Chef

HÉ!!!
Vous m'avez gelé et utilisé comme planche à neige!
Je suis tout égratigné!!!
On ne traite pas le papier comme ça!
Chef
Pistache aplati, as-tu déjà joué à roche, papier, ciseaux?
je connais ce jeu. Pourquoi?

Yapo-vie
Yapo-vie
pssh
Yapo-vie
Les ciseaux battent toujours le papier!!!
TRIPLE COUPE-O-RAMA
Main gauche

Chat
coupe!
Taille-toi!
Crise de
lames
pouce
droit

Chat
coupe!
Taille-toi!
Crise de
lames

Chef
Bon chien, super Chien!
Chef
Tu es notre héros!
HOURRA POUR SUPERCHIEN!
Chef

ÉPILOGUE
Chef

Je rentre chez moi pour écrire un article sur notre aventure!
Au revoir!
Chef
Super Chien, on va faire une **longue** promenade jusqu'au poste, toi et moi...
Chef
Chef
C'était toute une journée!
Chef

Personne n'a rien appris...
Chef
Il n'y a pas eu d'expiation...
pas de renaissance ni de révélations...
Chef
et pas une once de croissance personnelle.
Juste un tas d'actions gratuites et de hasards!
Chef
Ce que je veux dire, c'est que...
Chef

C'ÉTAIT UNE FÊTE PARFAITE!
Chef
Chef
Chef

FIN!

UN INSTANT...
Chef
si tu crois que l'aventure est finie...
tu n'as encore rien lu!
Au même moment, Georges et Harold sont en train de créer leur prochaine bande dessinée de Super Chien...
Regarde ça!!!

SUPER CHIEN
CONTE DE DEUX MINETS
C'était le meilleur...
Chef
et le pire de tous les chiens.
Chef
C'était le siècle de l'invention...
Clonage express
Nouveau
et des surprises.

Une époque de ténèbres...
et d'espérance.
minet gratuit
Que se passe-t-il donc?!!?
Si tu aimes l'action...
le suspens...
et les fous rires...

alors,
SUPER CHIEN 3
EST ÇA!
Super Chien 3 est ça?
ÇA ne veut toujours rien dire!
MAIS ON AIME ÇA!

BD EN PRIME
Cette BD a été créée quand on était en maternelle!
Super Chien 2
La rage de Pistache
quand on était jeunes et insouciants.
Aaah! Je m'en souviens.
Les boîtes de jus... les siestes...
les ciseaux de sûreté, les marqueurs parfumés...
snif
J'AI SOUVENIR ENCORE...

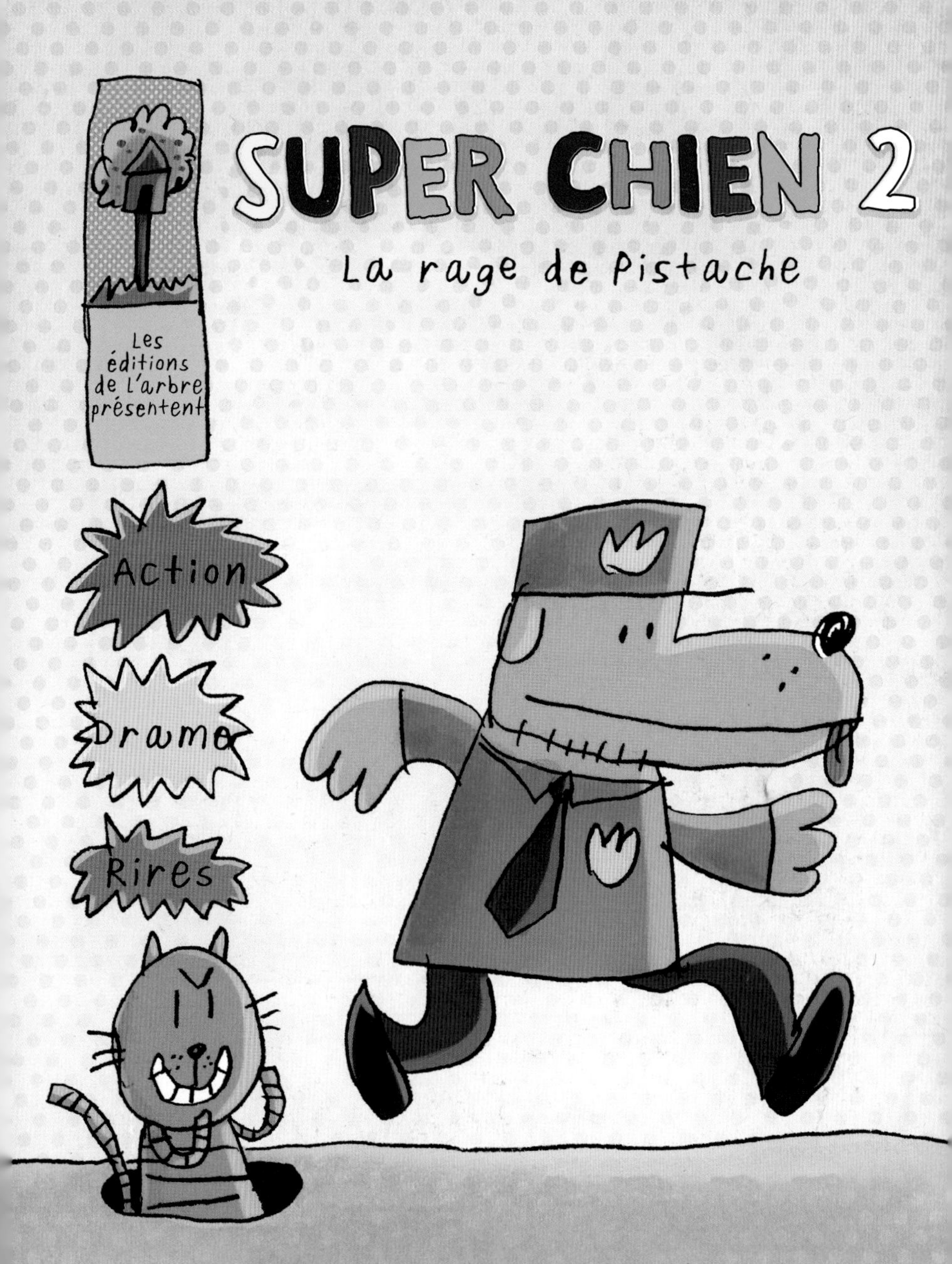

une nouvelle épique de
Georges Barnabé et Harold Hébert

Super Chien est le meilleur flic du monde.
On t'aime, Super Chien
Mais il a des défauts.
ordures
Super Chien, arrête de manger dans les poubelles!
crunch crunch
Ne te roule pas dans les poissons morts!
Ne renifle pas l'arrière-train des autres chiens chien!
snif snif

Super chien est super, mais iL pue!!!
Pouah
Tu as besoin d'un bain!
Wou-ou-ou-ou-ou-ou-ou-ou-ou
?
Pourquoi se sauve-t-iL?
Tu n'es pas au courant? Les chiens détestent Les bains!!!
J'avais oubLié.

Viens, Super Chien!
ICiiiii, Super Chien!
Burgers
Police
café
Reine Aubrey
Livres
Les flics fouillent la ville mais ne trouvent pas Super Chien.
La nouvelle parvient à Pistache en prison.
Journal
Super Chien s'est sauvé parce qu'il n'aime pas les bains c'est pour ça.
Super
C'est ma chance!
Si je pouvais atteindre cette fenêtre, je m'évaderais.

J'ai une idée!
Journal
FLOUCH
Journal
La toilette bloquée déborde.
Hi hi
FLOUCH
L'eau monte de plus en plus haut.
FLOUCH
Bientôt...
et puis...
alors...
Prison des chats
Je suis libre.

Pistache commet des crimes.
Ha ha
IL pille des banques.
Oh non!
Banque de Bob
Bob
IL vole des bijoux.
Donne!
Pas juste!
IL vole des autos.
Au voleur!
Yi-ha!
Les flics ne peuvent pas L'attraper.
Ha ha
Je voudrais que Super Chien revienne!
Moi aussi.

Entre-temps, Super Chien se cache dans une ruelle.
miam miam
ordures
Soudain...
Journal
Pistache incontrôlable
Où est donc Super Chien, hein?
ordures
Super Chien a honte.
Il sait qu'il doit être brave.
Il se lance bravement à la rescousse.

Super Chien cherche Pistache.
IL trouve une piste.
snif
snif
ELLe mène à La cachette de Pistache.
snif
snif
snif
Pistache, chat super diaboLique
Mais c'est un piège.
Hé! Devine!
C'est L'heure du bain!
fshh

Super Chien a peur!
Viens ici!
savon
IL creuse un trou pour se cacher.
IL creuse, creuse...
Mais Pistache le suit dans le trou.
Me voici!
savon

Super Chien creuse jusqu'au zoo.
ttes
hippo
Lion
éléphant
Il arrive sous la cage des mouffettes.
psss
psss

Super Chien aime les trucs puants, mais ca, c'est trop!
mouffettes
Pouah! Tu pues!
Je veux sortir!

Pistache sort en courant...
et tombe dans le filet des flics.
Je t'ai eu!
Tu vas en prison!
Zut!
Tourne-o-rama
Voici comment faire.
Mets ta main gauche sur la ligne pointillée.
Tiens l'autre page avec ton pouce.
Tourne rapidement la page.
Ça va avoir l'air d'un dessin animé.
Main gauche

Le bain de
Super Chien

Pouce
droit

Le bain de
Super Chien

Une présentation des éditions de l'arbre.

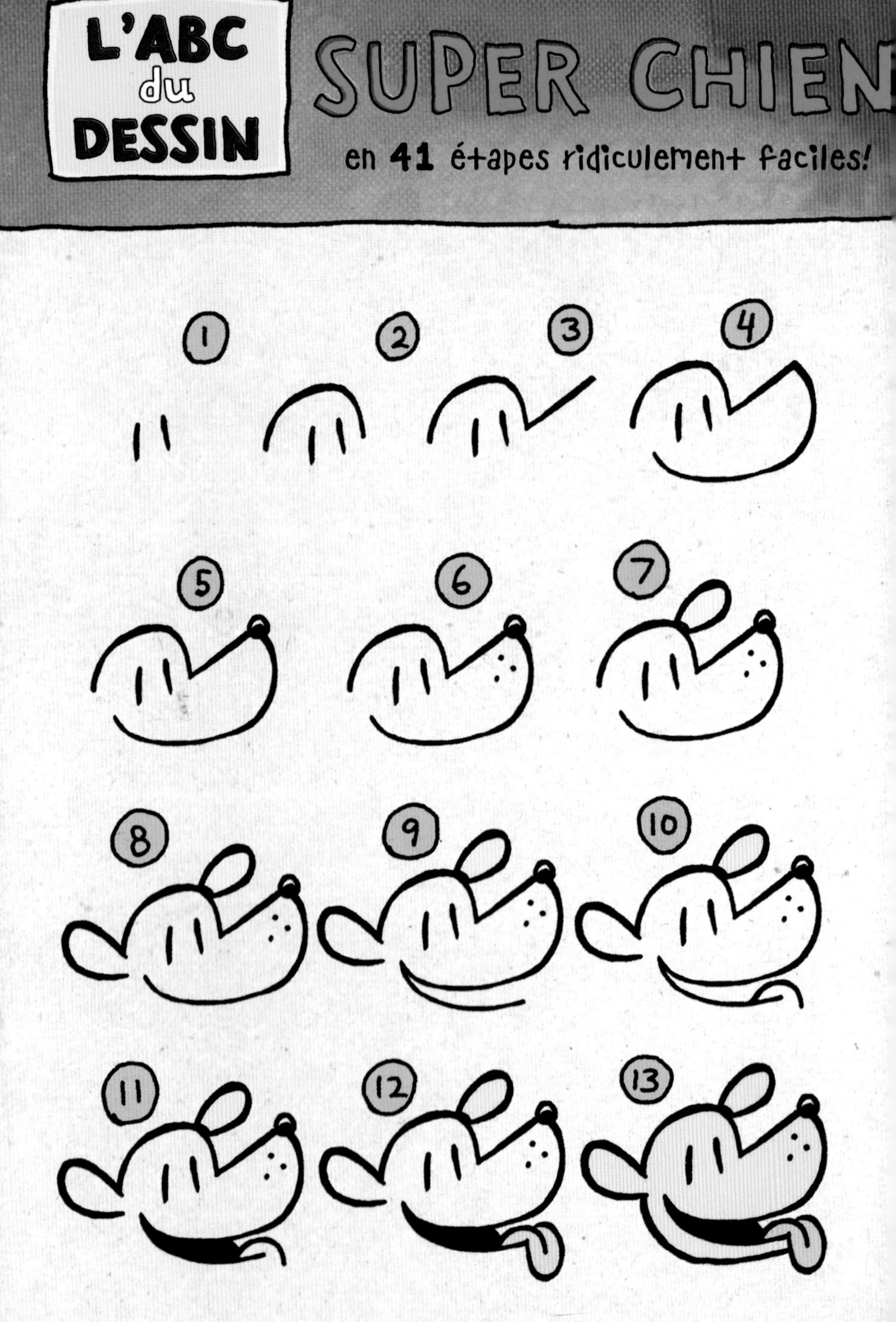
L'ABC du DESSIN
SUPER CHIEN
en 41 étapes ridiculement faciles!
1
2
3
4
5
6
7
8
9
10
11
12
13

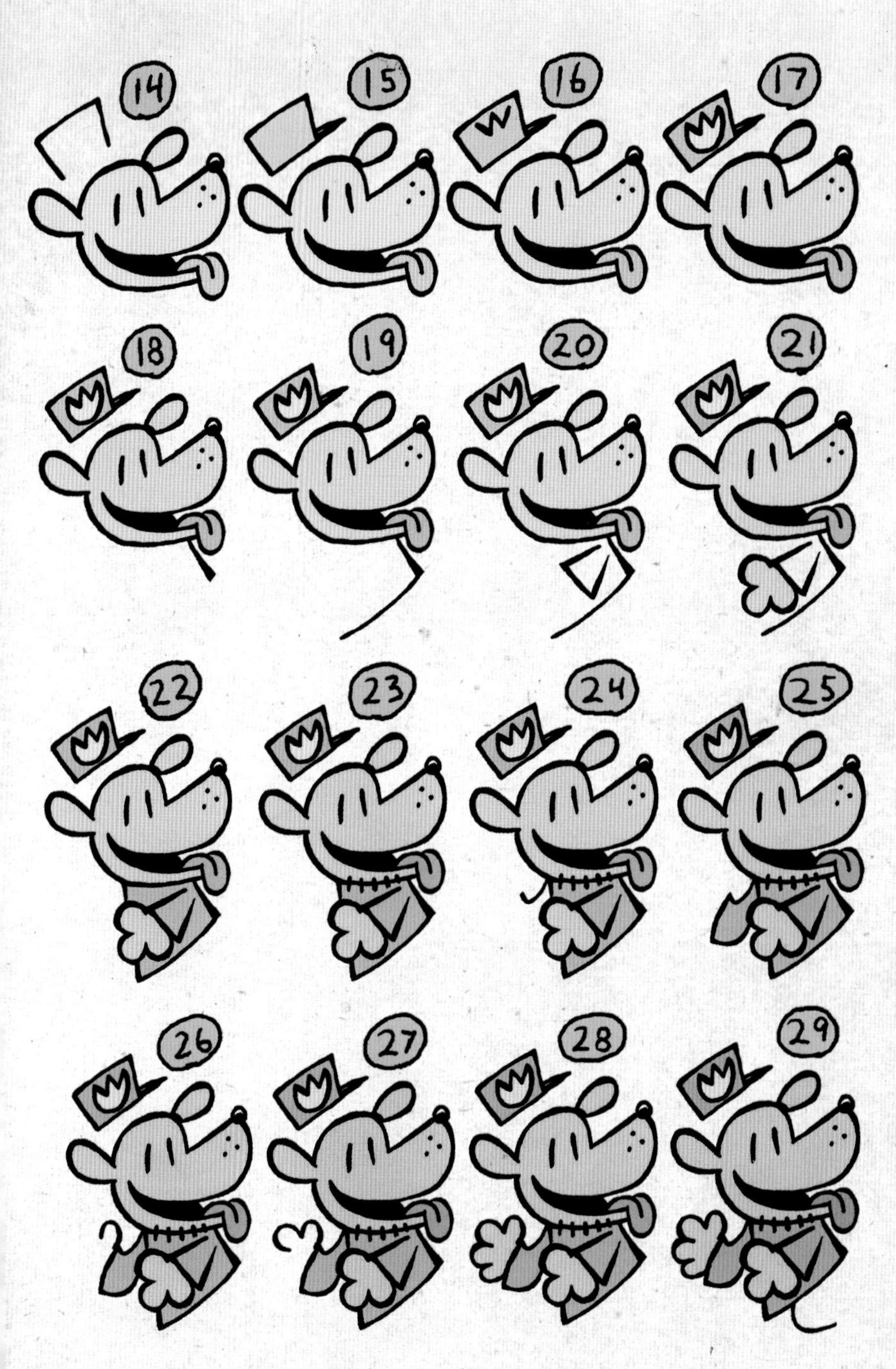
14
15
16
17
18
19
20
21
22
23
24
25
26
27
28
29

30
31
32
33
34
35
36
37
38
39
40
41

L'ABC
du
DESSIN

PISTACHE
en 28 étapes
ridiculement faciles

18
19
20
21
22
23
24
25
26
27
28

L'ABC
du
DESSIN
PISTACHE APLATI
en 8 autres étapes
ridiculement faciles!

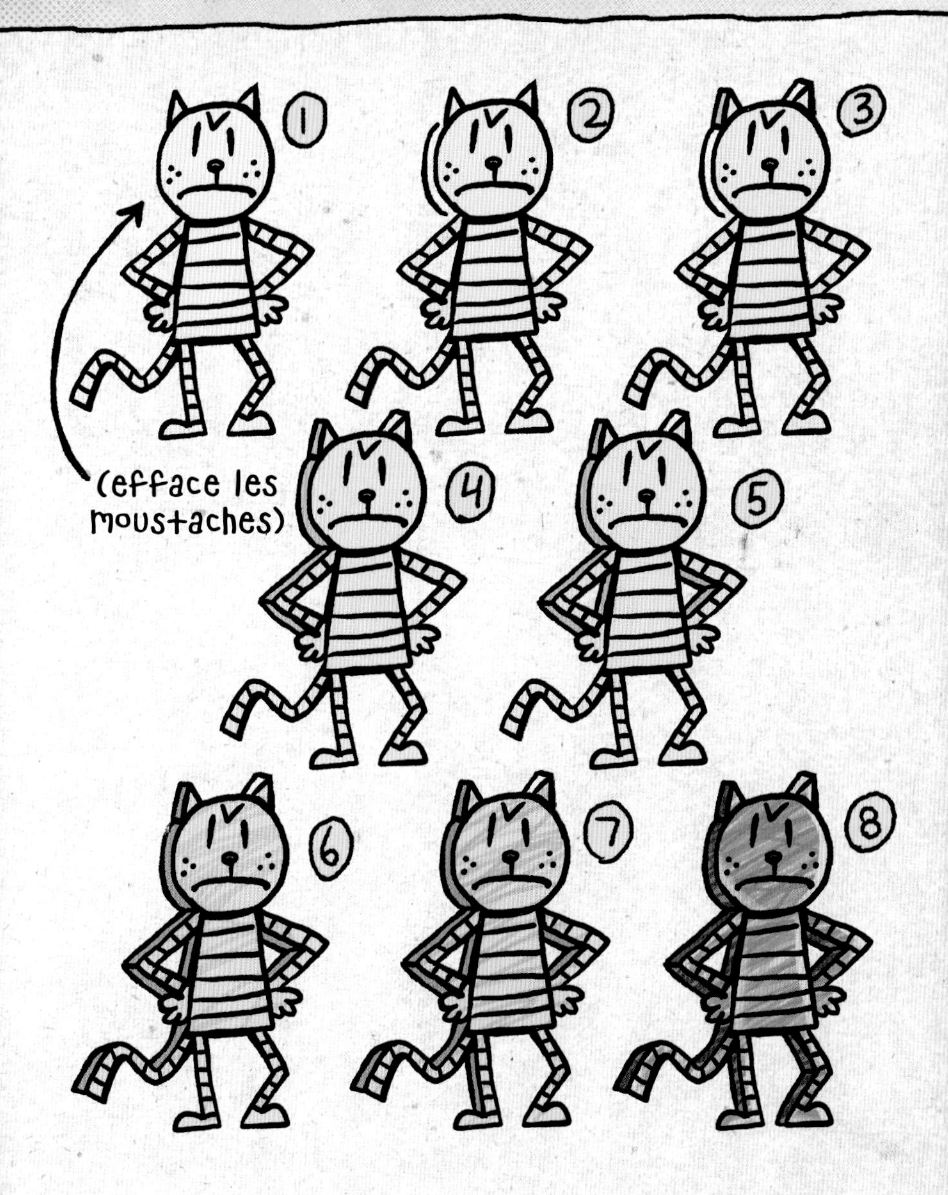
1
2
3
(efface les
moustaches)
4
5
6
7
8

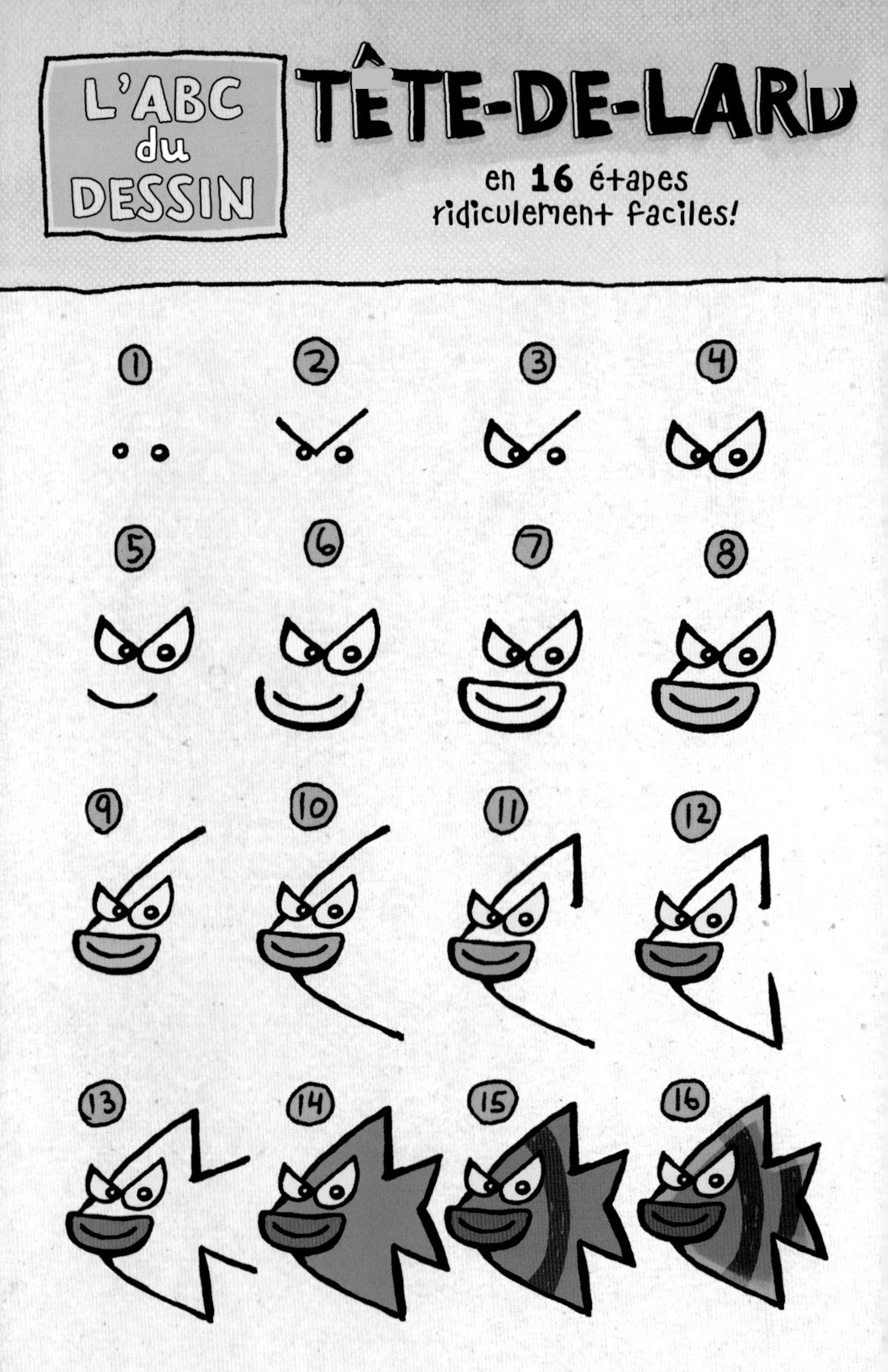
L'ABC du DESSIN
TÊTE-DE-LARD
en 16 étapes ridiculement faciles!
1
2
3
4
5
6
7
8
9
10
11
12
13
14
15
16

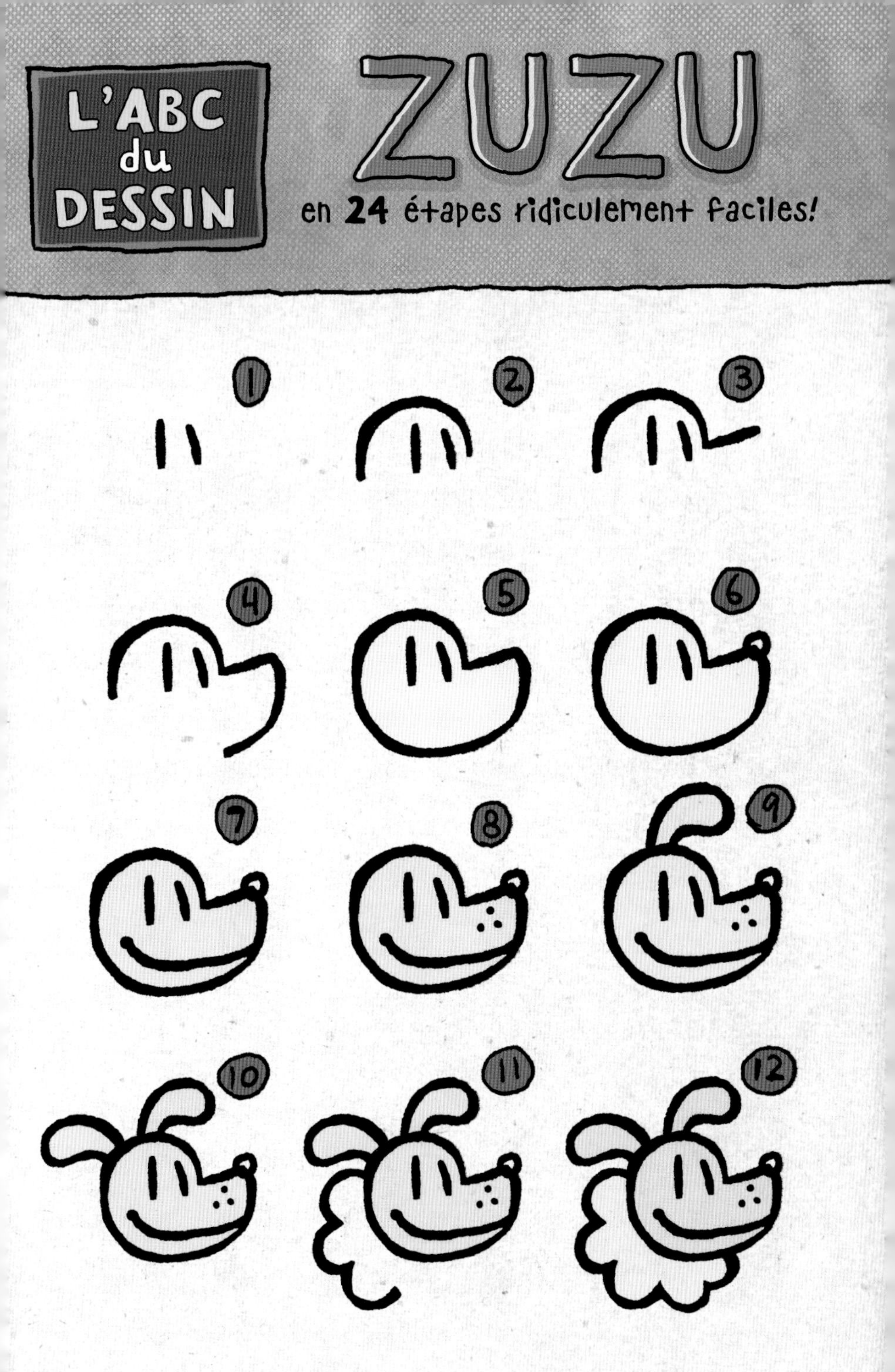
L'ABC du DESSIN
ZUZU
en 24 étapes ridiculement faciles!
1
2
3
4
5
6
7
8
9
10
11
12

13
14
15

16
17
18

19
20
21

22
23
24

À PROPOS DE L'AUTEUR

Enfant, Dav Pilkey souffrait de troubles d'hyperactivité avec déficit de l'attention, de dyslexie et de troubles de comportement. Dav dérangeait tellement en classe que ses enseignants le faisaient asseoir dans le corridor, tous les jours. Heureusement, Dav aimait dessiner et inventer des histoires. Il passait son temps dans le corridor à créer ses propres BD.

En deuxième année, Dav Pilkey a dessiné une BD au sujet d'un superhéros nommé capitaine Bobette. Son enseignante l'a déchirée et lui a dit qu'il ne pourrait pas passer le reste de sa vie à dessiner des livres bêtes. Heureusement, Dav n'écoutait pas ses enseignants.

À PROPOS DU COLORISTE

Jose Garibaldi a grandi du côté sud de Chicago. Enfant, il était souvent dans la lune et il aimait gribouiller. Aujourd'hui, c'est ce qu'il fait à temps plein. Jose est un illustrateur, un peintre et un bédéiste professionnel. Il a travaillé pour *Dark Horse Comics*, Disney, Nickelodeon, *MAD Magazine* et bien d'autres. Il vit à Los Angeles, en Californie, avec sa femme et ses chats.

CONNAIS-TU LES COLLECTIONS CAPITAINE BOBETTE ET RICKY RICOTTA DU MÊME AUTEUR?

CAPITAINE BOBETTE
LES AVENTURES DU CAPITAINE BOBETTE
CAPITAINE BOBETTE ET L'ATTAQUE DES TOILETTES PARLANTES
CAPITAINE BOBETTE ET LA MACHINATION MACHIAVÉLIQUE DU PROFESSEUR K.K. PROUT
CAPITAINE BOBETTE ET LES MISÉRABLES MAUVIETTES DU P'TIT COIN MAUVE
CAPITAINE BOBETTE ET LE TERRIFIANT RETOUR DE FIFI TI-PÈRE
CAPITAINE BOBETTE ET LA REVANCHE RÉPUGNANTE DES ROBO-BOXEURS RADIOACTIFS
CAPITAINE BOBETTE ET LA VENGEANCE VOLCANIQUE DE LA TURBO-TOILETTE 2000
DAV PILKEY
SCHOLASTIC
RICKY RICOTTA
RICKY RICOTTA ET SON ROBOT GÉANT
CONTRE LES MOUSTIQUES MUTANTS DE MERCURE
CONTRE LES VAUTOURS VAUDOU DE VÉNUS
CONTRE LES MÉCA-MACAQUES DE MARS
CONTRE LES JEANNOTS JURASSIQUES DE JUPITER
CONTRE LES PUNAISES SOURNOISES DE SATURNE
CONTRE LES LICORNES URANIQUES D'URANUS
CONTRE LES NÉMATODES NOCTURNES DE NEPTUNE
CONTRE LES MANCHOTS MÉGA-MÉCHANTS DE PLUTON
DAV PILKEY
DAN SANTAT
SCHOLASTIC